12, AVENUE D'ITALIE. PARIS XIIIe

Artiste, designer graphique et directeur artistique, **Vahram Muratyan** partage sa vie entre la Ville lumière et la Grosse Pomme. Il travaille en free-lance pour des clients tels que *Prada, colette, la Mairie de Paris,* et développe en parallèle ses projets personnels. En 2005, quelques années après y avoir reçu son diplôme, il retourne à l'ESAG-Penninghen où il enseigne l'édition et le graphisme. En 2010, lors d'un long séjour à New York, il lance son premier blog : **Paris versus New York, a tally of two cities.** En 2011, les œuvres sont exposées chez *colette* à Paris puis au *Standard* à Manhattan. Le livre *Paris vs New York* sort en France et aux États-Unis au format guide de poche suivi en 2012 d'une version intégrale grand format. Vahram signe une chronique chaque semaine dans *M le magazine du Monde,* tout en préparant ses prochaines aventures cosmopolites. À suivre...

www.vahrammuratyan.com

VAHRAM MURATYAN

Paris vs New York

titre original   *Paris versus New York, a tally of two cities*

©   Vahram Muratyan, 2011
©   Publié avec l'accord de Penguin Books,
        département de Penguin Group (USA).
        Éditions 10|18, département d'Univers Poche,
        2011, pour la présente édition.
ISBN   978-2-264-05630-6

l'histoire

Après un long périple sur plus d'un siècle, d'est en ouest, des terres d'Anatolie en passant par Istanbul, Gallipoli, Salonique, Venise, ma famille choisit de s'installer à Paris. La ville qui m'a vu naître, qui m'enrichit chaque jour de sa culture, de son histoire, de son expérience et de sa beauté. Pouvoir grandir dans une ville aussi passionnante est une chance. Elle est admirée pour ses rues charmantes, ses infinies possibilités, son atmosphère mystique ; je l'aime pour ses humeurs, ses changements de ton, son tourbillon, son faux calme et ses petites complications, à l'image de ses habitants. À vélo, en métro ou à pied, sa densité me sied, je la traverse de rive en arrondissement, prêt à découvrir ce qu'elle me réserve : une discussion en terrasse, un film coréen sous-titré, le petit marché couvert d'un quartier méconnu, un footing en bord de Seine, une escapade aux premiers signes du printemps… Le monde entier rêve de lui rendre visite, je souhaite à mon tour voir le monde. Enfant, l'atlas me donne l'envie de dézoomer, de voir loin, d'imaginer les alternatives, d'aller plus à l'ouest encore.

Bagel / Baguette

café
TAXI
Portes

Symbole

TIP
MAISON

METROCARD / METRO
Metrosign /

BASKET /

MAP

PARIS

NYC

Hello New York. La première fois que l'on nous présente, j'ai cinq ans et je me sens minuscule dans la Grosse Pomme. Adolescent, ce sont les lignes de fuite, les perspectives interminables, l'architecture Art déco superposée au style néogothique, les ombres gigantesques des *skyscrapers*, le mélange audacieux des cultures culinaires, l'enthousiasme de ses habitants qui participent à un dépaysement sensoriel sensationnel. Telle une drogue, New York me manque. Je décide de me rendre là-bas pour quelques mois et voir ainsi si j'y suis.

Assis dans le métro new-yorkais, le train fonce *downtown*, la climatisation semble être calée sur seize degrés, les crissements s'éloignent au loin dans le tunnel, j'observe les gens, croque quelques attitudes dans mon carnet : un *blue-collar* roupille dans son siège, une *working girl* discute avec sa *co-worker*, elle tient un café à la main, des idées me viennent, partent, ressurgissent avec le temps, prennent différentes formes, je les note, j'en oublie souvent, je dessine une tasse à café face à un gobelet géant, une vieille dame fatiguée apparaît face à une mamie dynamique... Une série de duels simples débute sur ces feuilles de papier, des comparaisons que je souhaite partager rapidement et au jour le jour avec mes proches : le blog **Paris versus New York** est né. En peu de temps, la toile tisse ses liens avec toutes sortes de voyageurs, de rêveurs et de romantiques ; ma surprise est réelle quand je constate l'attrait pour les deux capitales au niveau international, et très vite l'élaboration d'un livre est envisagée. Ce match visuel amical est dédié à tous les amoureux de Paris, de New York, et à ceux qui se trouvent partagés entre les deux.

vahram muratyan
le 23 juillet 2011

le déroulé

americano

keep walking

le journal

quotidien,

format berlinois

daily

broadsheet format

baguette

+ beurre demi-sel

bagel

+ cream cheese

les rues

orientation

location

explication

direction

subway

le toit

grand palais

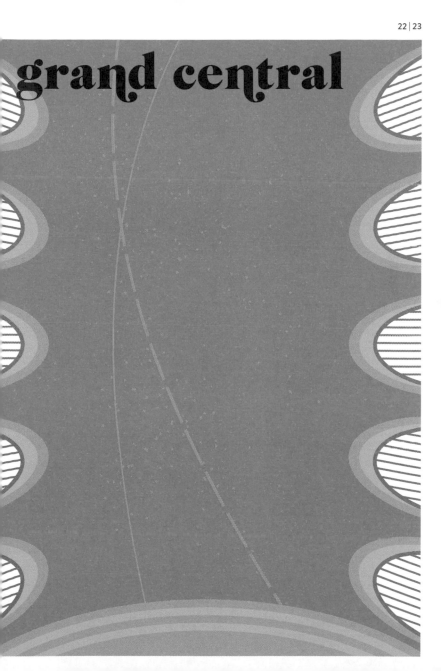

grand central

VilleLumière

double file

high rise

coulée verte

high line

go

poussettes

9e – 11e – 20e arrondissements

strollers

Park Slope – Upper West Side – TriBeCa

vieille dame

au parc Monceau

forever young

in Central Park

pierre de taille

carrie

in the Upper East Side

macaron

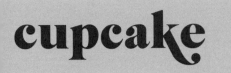

depardieu

le dernier métro

de niro

taxi driver

l'enfant terrible

truffaut

les quatre cents coups

pour tous

le vélib est dispo partout

for two

you'll get there eventually

armez-vous de patience vous arrive et a destination

promotion

construction

samedi soir

saturday night

la bise

shake

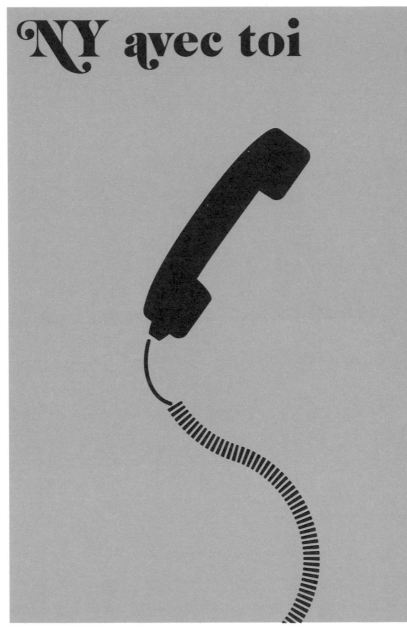

call me

dimanche matin

toutes les fêtes se terminent à la boulangerie

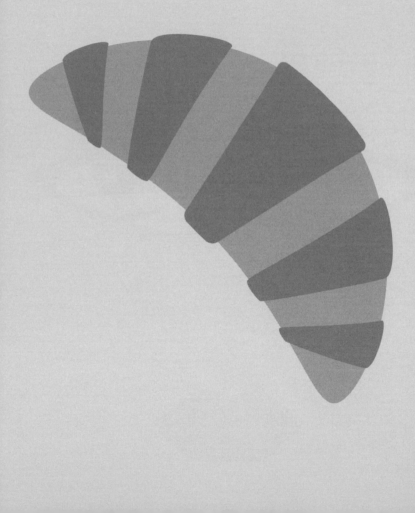

sunday morning

a hand-me-down dress from who knows where to all tomorrow's parties

paroles de Lou Reed & the Velvet Underground

cancan

gaga

la voiture

la banlieue

le périph'

frontière physique et psychologique

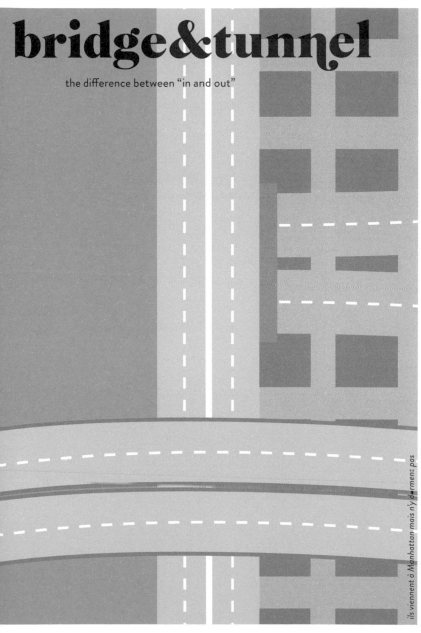

bridge&tunnel

the difference between "in and out"

ils viennent à Manhattan mais n'y dorment pas

les poubelles

tri sélectif

déchets — papier — verre

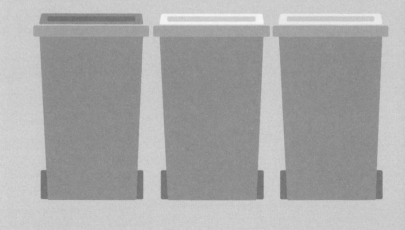

recycling

trash — paper — glass

elevator

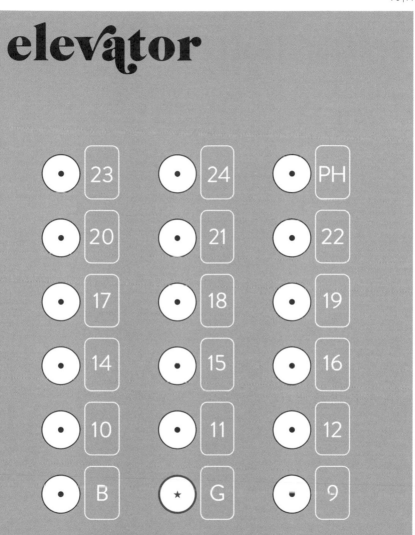

quasimodo

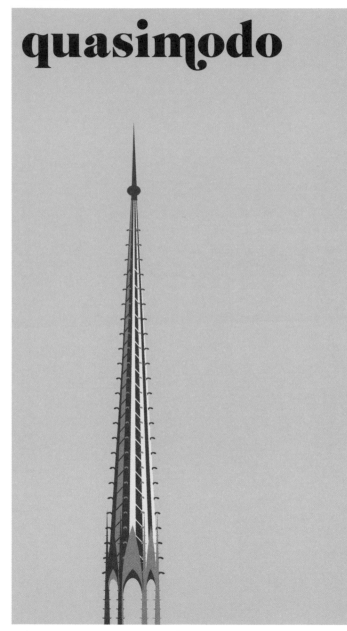

king kong

la verdure

espaces verts

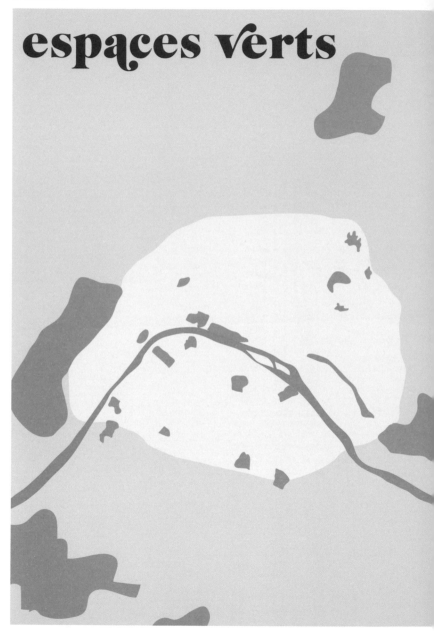

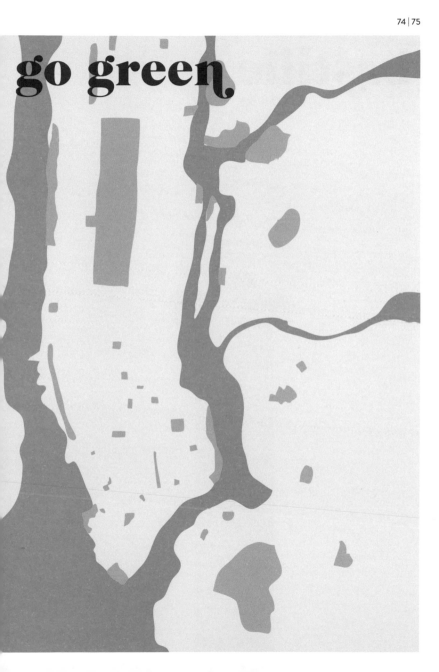

go green.

les anges

bethesda

pépé le putois

à la poursuite du grand amour dans le Quartier latin

squirrel

on the hunt for hot dog buns in Central Park

croque-monsieur

hot dog

la crotte

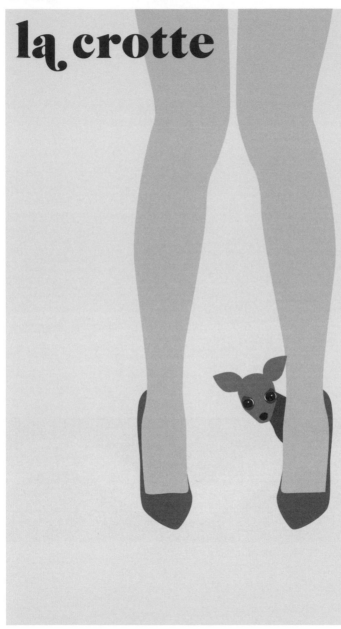

dogwalker

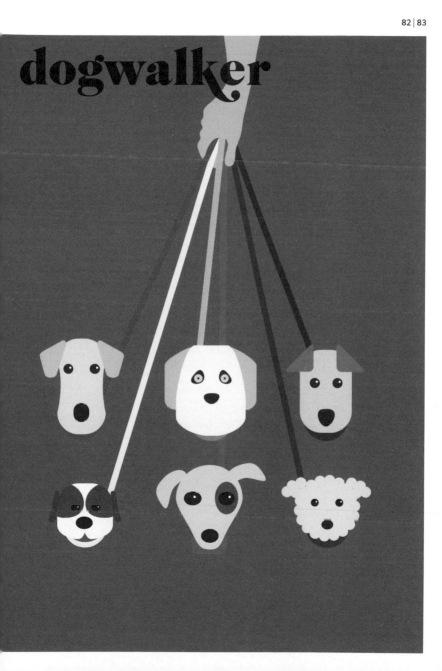

les crottes

porte-bonheur

si vous marchez dedans du pied gauche

sh.*t!

no comment

les marches

butte

garçons

marathon

novembre

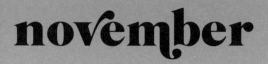

novembre

le défilé

manif

parade

la neige

hiver

cinq centimètres et c'est la panique

winter

alternate side parking has been suspended

le stationnement alterné est momentanément suspendu

d'une rive à l'autre

pont des arts

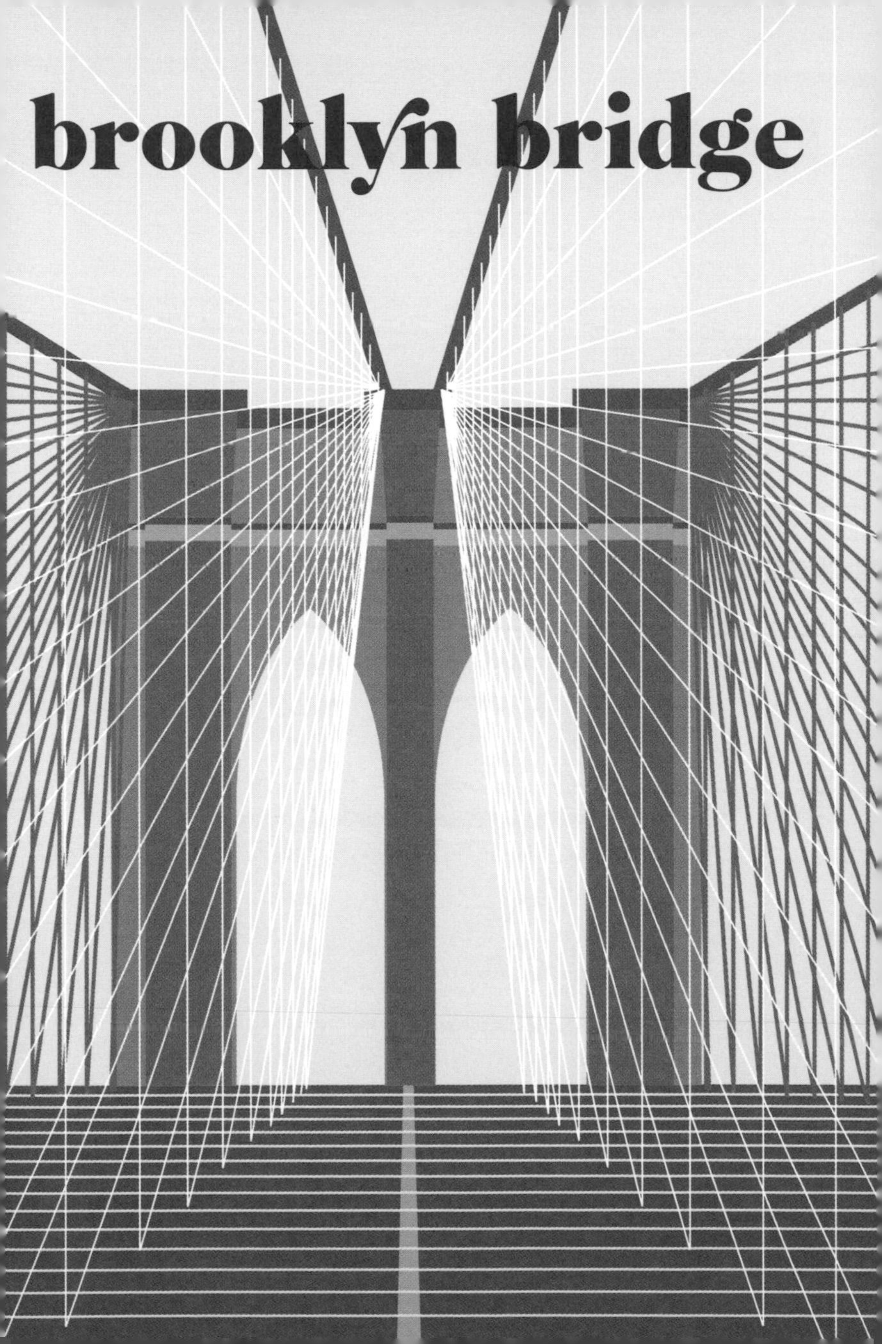
brooklyn bridge

bouquins

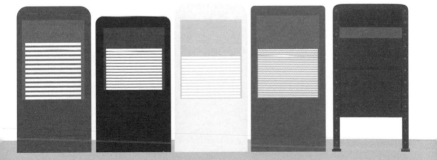

l'acrobate

man on wire

alias Philippe Petit

spiderman.

aka Peter Parker

les piétons

attendez

don't walk.

traversez

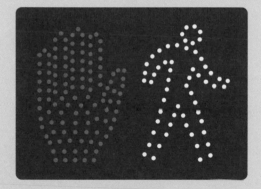

vous êtes ici

you are here

NEW YORK STATE

Inwood

Murray Hi

Financial District

Washington Heights

Wall Street

Midtown West

Flatiron

Washington Square ■

Rockefeller Center

Columbus Circle

Times Squar

Upper West Side

Guggenheim ■

Hudson River

PS1 ■

CENTRAL PARK

Manhattanville

Upper East Sid

■ Empire State Building

Yorkville

Sutton

Turtle-Bay

TudorCity

Hamilton Heights

Flushing Meadows ■

Columbia University

Giants Stadium ■

Battery Park City

Lenox Hill Hospital ■

Kips Bay

Penn Statio

Bedford Stuyvesan

NEW JERSEY

la Goutte d'Or
le Marais
Quartier de l'Horloge
Canal St-Martin

Hell's Kitchen
Meatpacking
Alphabet City
Canal Street

Paris sur New York

15e Barbès

Commerce

Opéra ■
Garnier

17e BOIS DE
BOULOG.

Rochechouart

9e Madeleine

Champs-Élysées

Louis Blanc Montaig

■ Beaubourg

St-Lazare Grands Boulevârds **8e**

Temple Bonne
Nouvelle Vaugirard Denfe

Gaîté

Montparnasse ■ Gare du Nord

Sentier Bercy

3e République Magenta

Tour Eiffel ■

Enfants
Rouges PARIS

Le Marais

Coulée
Verte **4e** BNF Folie-Méricourt

Les Halles Arc ■ Gaillon
de Triomphe

St-Paul ■ La Sorbonne

St-Germain Quartier **10e**
des-Prés Latin

5e **6e** Odéon Bastille

Oberkampf

Quartier chinois

1er **13e** **11e**

Hôtel ■
de Ville Belleville

Bourse Cour
St-Emilion

2e

La Seine Rive Gauche

Île St-Louis

La Défense Canal de l'Oureq

Canal St-Martin

Butte Ménilmontant
aux-Cailles

Batignolles Beaugrenell

VAL
D'OISE

YVELINES

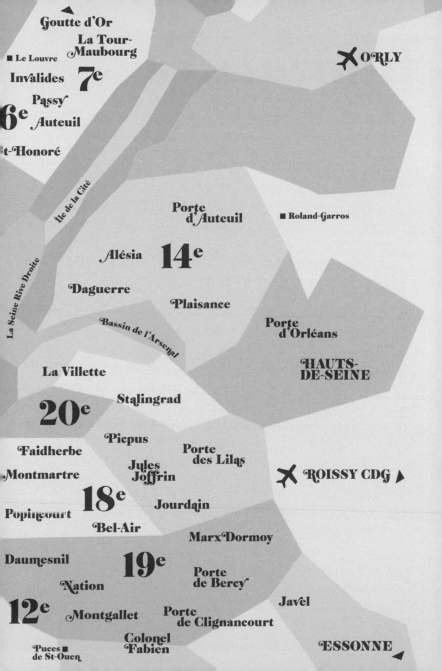

funiculaire

roosevelt island

correspondance

commuting

disneyland

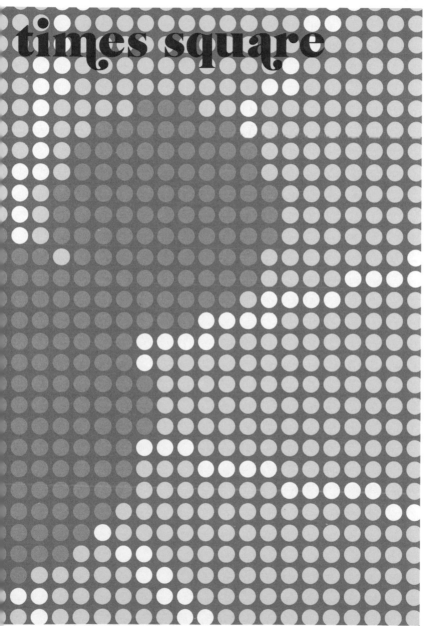

times square

bateau-mouche

mise en Seine parisienne pour touristes de tout bord

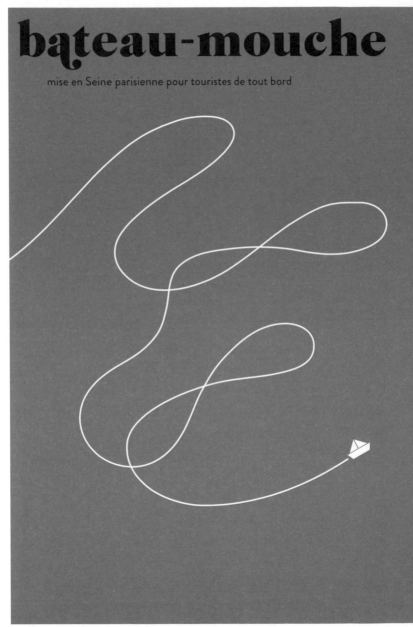

circle line

a full island three-hour cruise that keeps tourists at sea

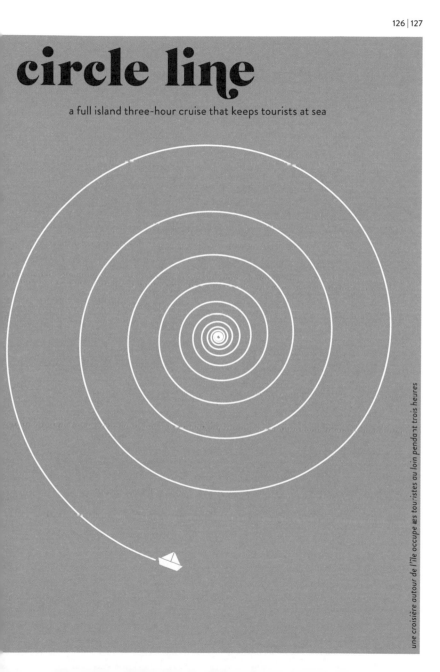

une croisière autour de l'île occupe les touristes au loin pendant trois heures

1889

1886

c'est magnifique

un New-Yorkais dans la Ville Lumière

a sunday in Paris

Tour Eiffel
Café de Flore
Le Marais
Père-Lachaise

un Parisien dans la Grosse Pomme

un dimanche à Manhattan

Gospel in Harlem
Brunch
Shopping at A&F
Central Park

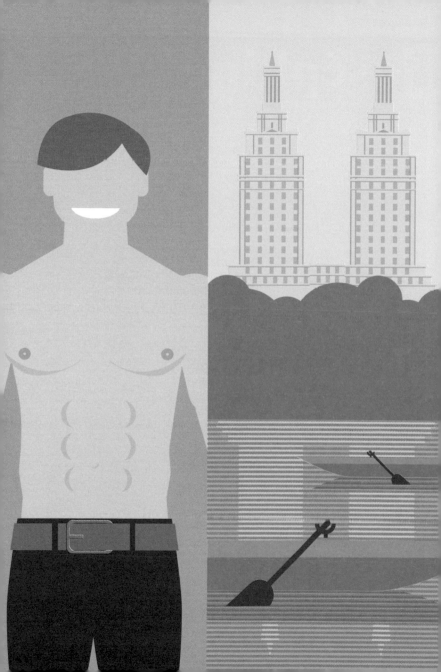

joséphine

aznavour

se voyait déjà en haut de l'affiche

sinatra

if you make it here, you'll make it anywhere

si vous réussissez dans cette ville, vous réussirez n'importe où ailleurs

mona lisa

les demoiselles

pyramide

entrée pour les arts

cube

entrance for the geeks

la promenade

jardin

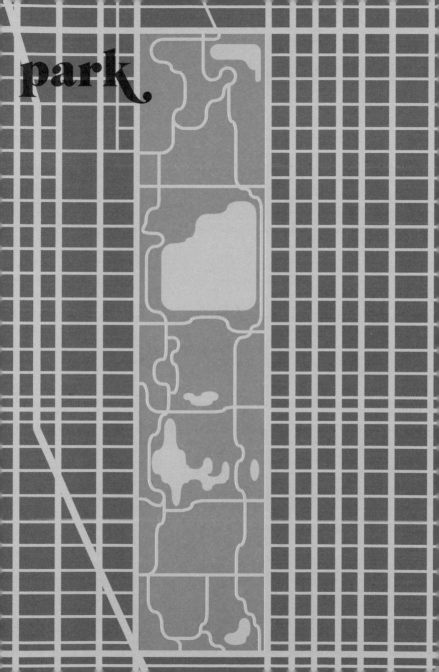

park.

pâtisserie

pastrami

la sorbonne

columbia

nouvelle vague

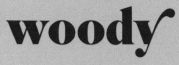

woody

new yorker

proust

la mode

sonia

la créatrice

anna

the critic

les bijoux

cartier

tiffany

tabac

nails

jean-paul

la barbe

bobo

dans l'Est parisien

hipster

on Williamsburg bridge

parisienne

mad men

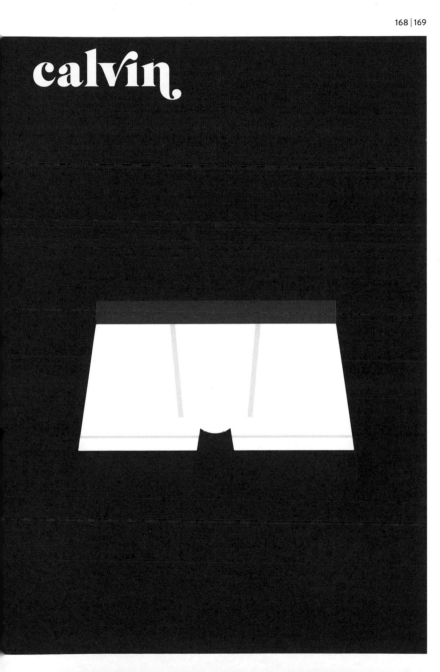

champs-élysées

fifth avenue

UNESCO

UN

inondation

la peste

pigeon

rat volant

rat

wingless pigeon

la bouche

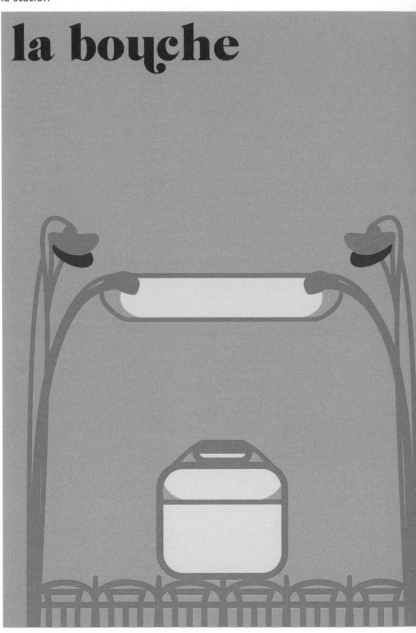

the globes

printemps

autumn

Roland-Garros

US Open

parc des princes

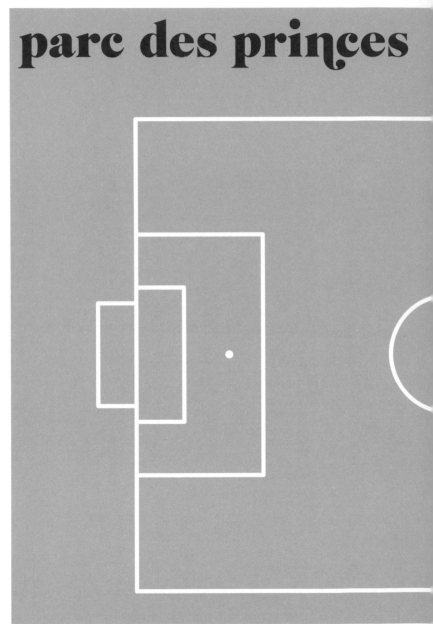

giants stadium

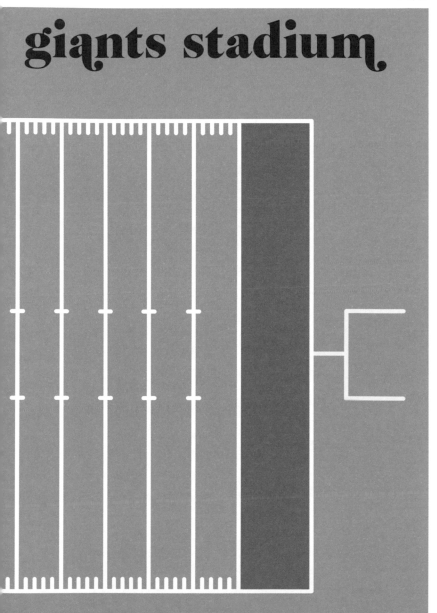

deauville

hamptons

paris plages

coney island

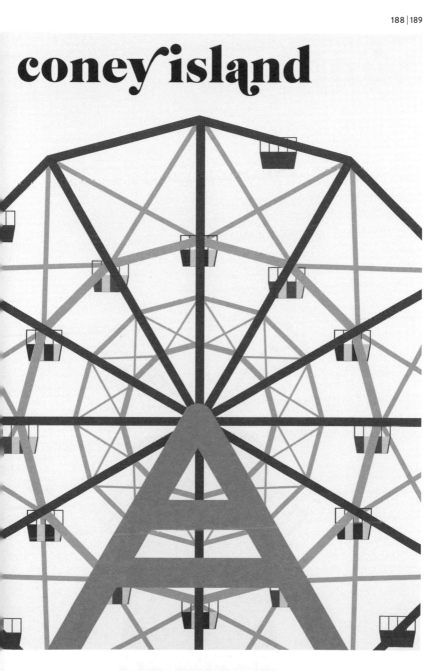

la chaleur

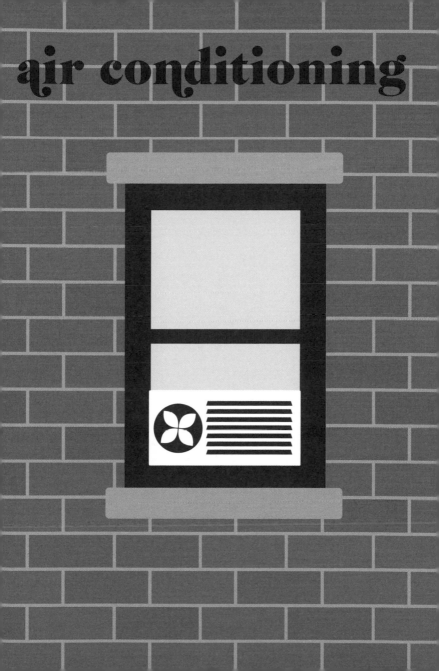

au soleil

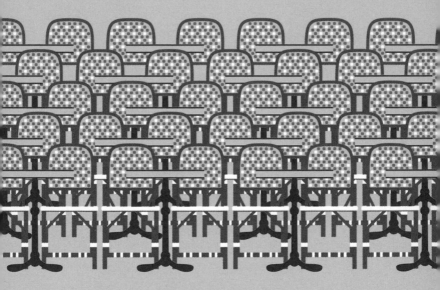

bordeaux

cosmo

daft punk

disco funk

gainsbourg

warhol

l'art moderne

guggenheim

les tours

chef
d'œuvre

Tour St-Jacques
4ᵉ arr. (1523)

bête
noire

Tour Montparnasse
15ᵉ arr. (1973)

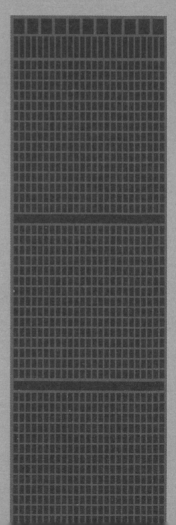

master class

Flatiron Building
23rd st. (1902)

skyline spoiler

Verizon Building
Financial District (1975)

devantures

block

brasserie

conversation

dialogue

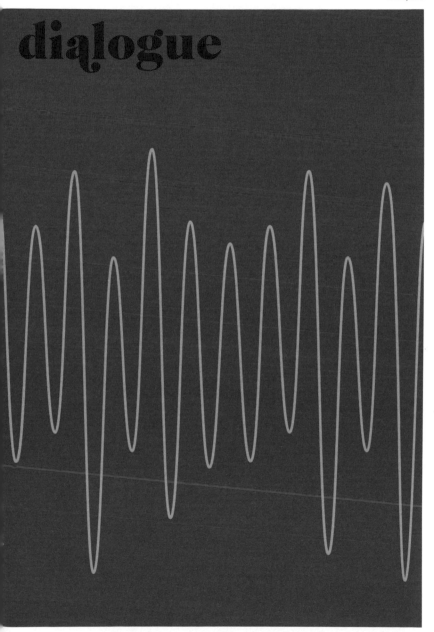

salé

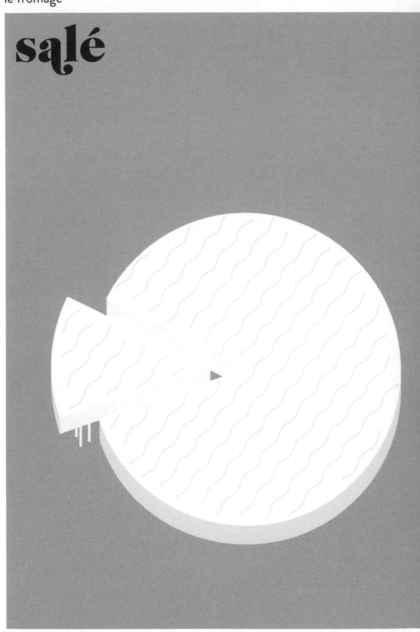

sucré

coffeehouse

americano

black

long black

latte

breve

macchiato

double espresso

mocha

frappucino

le tip

pourboire

service compris

tip

just double the tax

Paris je t'aime

la disponibilité

indications

libre — occupé — fin de service

lights

free — taken — off duty

CDG

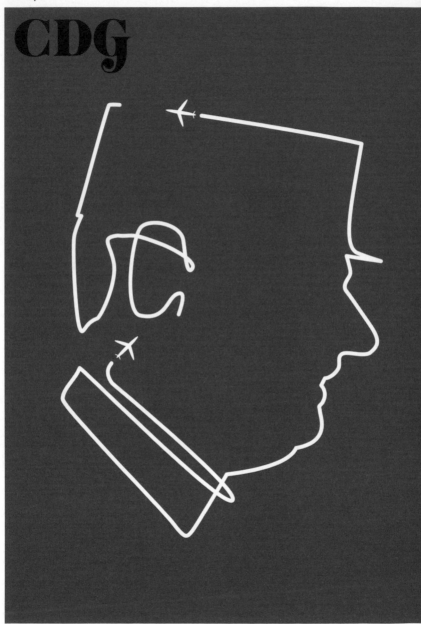

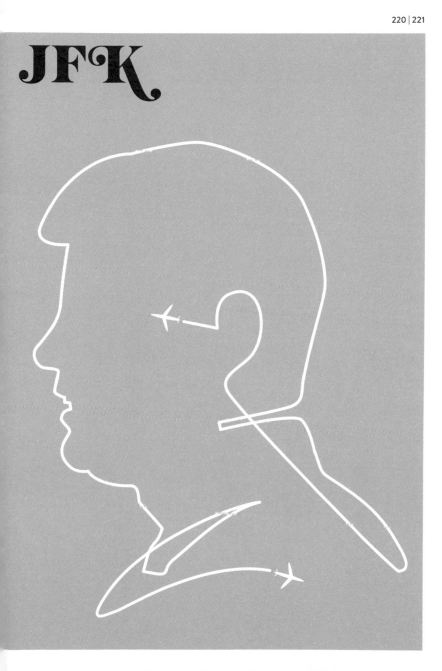

à bientôt Paris

Londres
Rome
Berlin
Barcelone
Le Caire
Istanbul

so long NYC

Achevé d'imprimer par Pollina - L74053
Dépôt legal : novembre 2011
XO5630/08
Imprimé en France